Écrit par : Nicole Lebel
Illustré par : Francis Turenne
Révision : Liara-Caroline Brault

Phil & Sophie : Je suis généreux
ISBN : 978-2-924044-77-3
Dépôt Légal - Bibliothèque et Archives nationales du Québec, 2014
Dépôt Légal - Bibliothèque et Archives Canada, 2014

Imprimé au Canada

Créé et publié par Fablus

Fablus.ca

**Créé et imprimé
au Québec**

je suis généreux

phil&sophie

C'est une journée formidable !

Phil et Sophie jouent dans le sable à la plage.

Soleil et bonne humeur sont au rendez-vous.

Un petit garçon sympathique vient leur demander timidement s'il peut jouer avec eux, car il a oublié ses jouets de plage.
Il ajoute qu'il a une tonne d'idées de construction de châteaux !

Phil est loin d'être enchanté à l'idée
de prêter ses pelles et son seau...
Il recule en faisant une moue qui en dit long.

Sophie tente de convaincre son frère qui ne veut pas partager : « Phil, plus on est de fous, plus on rit ! Invitons-le à jouer avec nous et nous aurons beaucoup de plaisir. Allez... dis oui ! »

« NON. »

« Comme tu veux ! Alors moi je vais aller jouer avec lui et lui prêter mes jouets. À plus tard ! » répond Sophie en tournant les talons.

Phil regarde sa sœur et son nouvel ami s'éloigner en se demandant s'il a pris la bonne décision, car il ressent un petit pincement au cœur.

Sophie et son nouvel ami Joseph s'amusent follement en construisant un immense château entouré d'une douve remplie d'eau de mer. Joseph décore les murs de coquillages. Sophie trouve que c'est génial. Elle pense que ça vaut vraiment la peine de prêter ses jouets, car ça permet de découvrir de nouvelles idées !

Alors qu'il s'ennuie tout seul de son côté,
Phil observe de loin les deux nouveaux amis
qui s'en donnent à cœur joie. À bien y penser,
il aurait peut-être bien préféré partager.

La maman de Joseph qui pense à tout
leur apporte des rafraîchissements.
Avec une telle chaleur, ces friandises glacées
sont plus que bienvenues !

Joseph court rejoindre Phil pour lui offrir la moitié de sa collation. Phil est touché par sa générosité et le remercie. Le petit pincement au cœur de Phil vient de fondre comme une glace au soleil. « Finalement, se dit Phil, le bonheur ce n'est vraiment pas de tout garder pour soi. »

Phil se souvient alors d'une sortie au cinéma où il partageait avec sa sœur un panier de maïs soufflé. La collation avait bien meilleur goût à deux. Il se rappelle encore que c'est le meilleur maïs soufflé qu'il ait jamais dégusté, surtout parce qu'il était en si bonne compagnie !

Finalement, Phil est heureux de partager ses jouets avec Joseph, il a le cœur plus léger et tout le monde sourit. Comme le temps file à toute allure quand on s'amuse entre amis, le soleil se couche déjà sur la plage.

Et toi, préfères-tu garder ce que tu aimes juste pour toi ou le prêter à tes amis? Fais comme Phil et choisis de t'amuser en partageant, tu pourras aussi dire : je suis généreux !

Déjà parus dans la même collection :

Ministoires^{MD} à colorier et certificats
gratuits sur fablus.ca

Fablus
Ministoires^{MD}
phil&sophie

fablus.ca